Raiponce

Susanna Davidson

Illustrations de
Desideria Guicciardini

Texte français de Claudine Azoulay

Éditions
SCHOLASTIC

Table des matières

Chapitre 1

Le jardin de la sorcière

M. et Mme Rose vivent dans une petite maison, donnant sur un magnifique jardin. Un jardin où ils n'ont jamais osé entrer...

car il appartient à une méchante sorcière aux pouvoirs immenses.

Mme Rose s'assoit souvent près de la fenêtre et contemple le jardin pendant des heures.

Mais depuis quelque temps, elle a des envies.
– Aujourd'hui, j'aimerais manger du pudding au chocolat fourré aux épinards, déclare-t-elle.

M. Rose n'est pas surpris :
– Depuis que tu es enceinte, tu as envie des choses les plus bizarres au monde.

– À moins que je mange des bananes, des choux de Bruxelles et hum... du dentifrice. Oui, ça, ce serait divin, poursuit Mme Rose.

– En es-tu certaine? demande M. Rose.

– Oui, absolument certaine. Et pourtant, j'ai l'impression qu'il manque quelque chose...

– Des vers de terre? lui suggère M. Rose. Ou peut-être quelques fourmis écrasées en garniture?

– Attends! s'écrie Mme Rose en montrant du doigt le jardin de la sorcière. C'est ça!

– Quoi ça?

– Ce légume. Oooh! Il est si vert et paraît si juteux. Je le veux!

M. Rose regarde dehors et conclut :
– Eh bien, tu ne peux pas l'avoir. Je n'irai pas dans ce jardin. La sorcière pourrait me manger vivant!

– Si je n'ai pas cette plante, je mourrai, déclare Mme Rose.
Et elle éclate en sanglots.

Chapitre 2

Au voleur!

Mme Rose sanglote pendant trois heures, et M. Rose finit par céder. Durant la nuit, il se faufile dans le jardin de la sorcière.

« Tous ces légumes se ressemblent dans l'obscurité, se dit-il. Comment puis-je savoir lequel elle veut? »

Il attrape donc le légume le plus près et retourne chez lui en toute hâte.

– Quelle andouille tu es! s'écrie Mme Rose. Tu m'as rapporté un navet. Il faut que tu y retournes.

La deuxième fois, M. Rose examine attentivement tout le jardin.
« Bon, celui-ci a des feuilles vertes. Ce doit être le bon! » se dit-il.
Mais alors qu'il arrache la plante, il frémit. Une odeur nauséabonde lui monte au nez.

Il lève les yeux et pousse un hurlement. La sorcière est plantée là, devant lui. Il sent son haleine fétide.

– Comment oses-tu voler ma raiponce? hurle la sorcière. Tu vas me le payer, sale petit voleur!

Son œil luit méchamment.
– Je vais te manger vivant, siffle-t-elle. Je suis sûre que tu as très bon goût.
– J-j-je vous en prie, ne me mangez pas, balbutie M. Rose.

Il tremble de peur et ajoute :
– Je l'ai cueillie pour ma femme. Elle va avoir un b-b-bébé.

– Hum, fait la sorcière d'un air songeur. Un bébé?
Elle réfléchit.
– Je te propose un marché. Je ne te tuerai pas et tu pourras cueillir autant de raiponces que tu voudras...

mais il faudra que vous me donniez le bébé dès sa naissance.

M. Rose est si terrifié qu'il accepte. D'un pas lent, il retourne chez lui en secouant la tête avec inquiétude. « Elle changera peut-être d'avis », songe-t-il, désespéré.

Mais dès que sa femme accouche de leur fille, la sorcière apparaît.

– Cette enfant est à moi! crie-t-elle avec un affreux rictus. Et je l'appellerai Raiponce, comme la plante que vous avez volée. Donnez-la moi!
Mme Rose a beau pleurer, la sorcière ne cède pas.

La sorcière s'empare du bébé et disparaît.

Chapitre 3

La tour

Depuis onze ans, Raiponce vit avec la sorcière qui la traite comme une esclave.

Plus Raiponce grandit, plus elle devient belle. Elle a les yeux bleus et de longs cheveux dorés...

qui descendent dans son dos,

dépassent ses pieds...

et ondoient sur le sol.

« Raiponce devient trop belle, songe la sorcière. Il va falloir que je l'enferme. Je ne veux pas qu'un jeune homme se sauve avec elle. »

Le matin de ses douze ans, Raiponce est réveillée de bonne heure par la sorcière.

– J'ai une belle surprise pour toi, dit cette dernière. Nous allons pique-niquer dans la forêt.

La forêt est dense et sombre. Elle n'a rien d'un endroit pour pique-niquer. Au beau milieu se dresse une tour.

– Je n'aime pas cet endroit, dit Raiponce en frémissant.

– Tu devras t'y habituer, glousse la sorcière, parce que c'est ta nouvelle maison.

La sorcière lui jette un mauvais sort et Raiponce se retrouve dans une petite pièce, au sommet de la tour.

– Je ne peux pas habiter ici! crie Raiponce. Il n'y a pas de sortie... ni escalier ni porte...
– Mais tu n'a pas besoin de sortir, dit la sorcière, puisque moi, je peux y entrer en grimpant par tes cheveux!

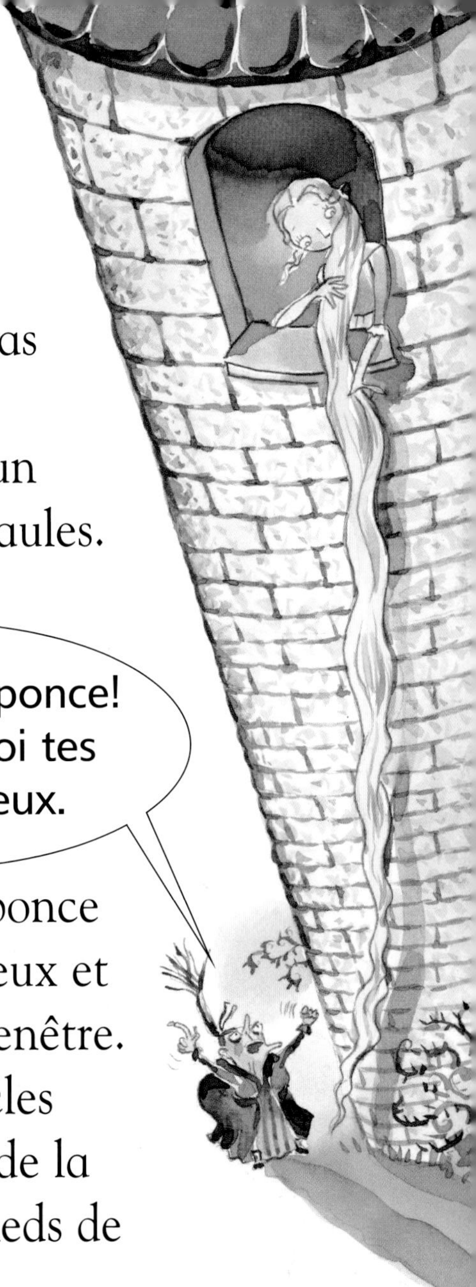

– Et si je ne vous
laisse pas faire...
dit Raiponce.
– Alors tu mourras
de faim, conclut
la sorcière avec un
haussement d'épaules.

Raiponce! Raiponce!
Descends-moi tes
longs cheveux.

Avec effort, Raiponce
soulève ses cheveux et
les passe par la fenêtre.
Ses longues boucles
tombent le long de la
tour jusqu'aux pieds de
la sorcière.

La sorcière grimpe par les cheveux de Raiponce...

... et entre dans la tour.

Chapitre 4

Le prince Hans

Quatre années ont passé. Raiponce n'a jamais vu âme qui vive sauf la vieille sorcière.

Et absolument personne ne sait où est Raiponce. Puis un jour..

... un prince, jeune et beau, traverse la forêt à cheval. De sa fenêtre, Raiponce le remarque.

– À l'aide! crie-t-elle aussi fort que possible. Je vous en prie, aidez-moi!
Surpris, le prince lève les yeux.

– Soyez sans crainte, je vais vous sauver, lui crie-t-il.
Éperonnant son cheval, il galope jusqu'à la tour.
– Le prince Hans vole à votre secours! lance-t-il.

À cheval, il en fait trois fois le tour et s'étonne :

– Hum, je ne trouve pas la porte...

– Il n'y a pas de porte, lui dit Raiponce. C'est une tour magique. Une méchante sorcière m'a enfermée ici. Vous devez grimper par mes cheveux.

– Eh bien, je n'ai jamais fait une chose pareille, dit le prince Hans en commençant à grimper. Et c'est plus difficile que ça en a l'air.

Comment vous appelez-vous? poursuit-t-il.
– Raiponce, répond la jeune fille.
Le prince Hans rit tellement qu'il manque de tomber.

– Qu'y a-t-il de si drôle? demande Raiponce avec arrogance.
– Vous portez le nom d'un légume! répond le prince sans cesser de rire.

– Ah bon! dit Raiponce qui trouvait son nom plutôt joli. Serais-je trop drôle pour être secourue?

– Pas du tout, dit le prince Hans qui est parvenu en haut de la tour. Mais comment vais-je faire pour vous délivrer?

– C'est vous le prince, répond Raiponce. Trouvez une solution.

Le prince Hans fait le tour de la pièce et remarque des ciseaux.

– J'ai trouvé! s'écrie-t-il. Je vais vous couper les cheveux, en faire une corde, et nous descendrons tous les deux en nous y accrochant.

– Vous *ne* me couperez *pas* les cheveux, dit Raiponce. Avez-vous idée du temps qu'il leur a fallu pour être si longs?

– D'accord, répond le prince Hans, mais vous devrez trouver une autre idée, sinon vos cheveux y passeront.

Raiponce réfléchit et rétorque :
– Venez me voir tous les soirs et apportez-moi une bobine de soie. Je tisserai une échelle.

– Mais ça prendra un temps fou, s'écrie le prince Hans.
Comme Raiponce le regarde les sourcils froncés, il ajoute :
– ... Ce qui n'est pas un problème...

Le prince vient donc chaque soir. Il parle à Raiponce de son royaume.
– Je vis dans un magnifique château. Il y a des cours ornées de fontaines et de fleurs en abondance...

Raiponce a hâte d'y aller.

Chapitre 5

La ruse de la sorcière

Au fil des semaines, l'échelle de Raiponce s'allonge et s'allonge.
« Plus qu'une semaine et je serai libre... », songe-t-elle un matin.

– Raiponce! crie la sorcière en bas de la tour. Raiponce! Descends-moi tes cheveux. Je t'ai apporté à manger.

En grimpant, la sorcière tire horriblement sur les cheveux de la jeune fille.

–Aïe! crie Raiponce. Pourquoi tirez-vous toujours si fort? Le prince Hans ne me fait jamais mal quand il grimpe, *lui*.

– Le prince Hans? hurle la sorcière. Qui est le prince Hans? Fille ingrate! Je croyais t'avoir isolée du monde, mais tu m'as déjouée.

La sorcière saute à l'intérieur de la tour et s'empare vite des ciseaux. Elle coupe les cheveux de Raiponce qui s'amoncellent sur le plancher.

– Et je n'ai pas fini, beugle-t-elle. Elle lui jette un sort affreux et l'expédie dans le désert.

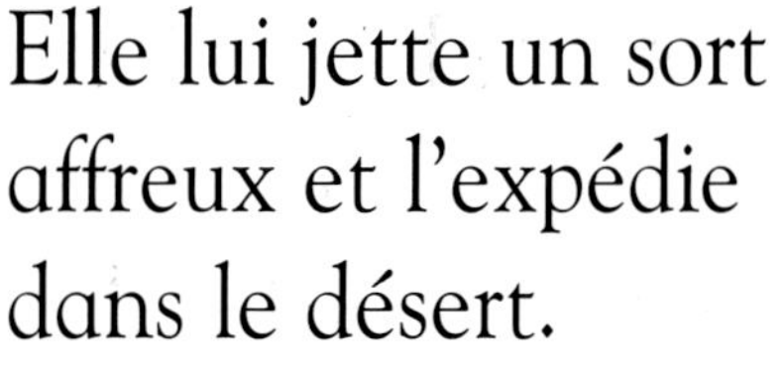

Ensuite, elle attend le prince, un sourire cruel figé sur sa face ridée.

Le soir même, le prince Hans appelle Raiponce, comme d'habitude. Les cheveux de la jeune fille tombent en chatoyant.

Mais quand le prince parvient en haut de la tour, il reste stupéfait. Une vieille femme toute ratatinée l'attend à la place de la jeune fille.
– Où est Raiponce? demande-t-il.

– Raiponce est partie, annonce la sorcière avec un rire lugubre. Tu ne la reverras plus jamais.

Elle se penche à l'extérieur de la tour et embrasse le prince de ses lèvres baveuses.
– Berk! s'écrie-t-il.

C'était un baiser maléfique. Soudain, les mains du prince sont couvertes de bave. Il lâche prise et dégringole sur le sol comme une roche.

Il atterrit dans un buisson de ronces, ce qui lui sauve la vie. Cependant, les épines pointues l'ont rendu aveugle.

Malgré la douleur, le prince Hans se relève et crie à la sorcière :
– Je suis peut-être aveugle, mais je retrouverai Raiponce.
– Jamais! glousse l'affreuse femme.

Le prince Hans erre pendant des mois à la recherche de Raiponce. Finalement, il rencontre un marchand de chameaux. Cet homme lui parle d'une femme aux cheveux dorés et aux yeux bleus, qui vit seule dans le désert.

Le prince Hans engage un cocher et se procure des chevaux très rapides.

– Emmenez-moi dans le désert, ordonne-t-il.

Surprise, Raiponce voit arriver l'attelage. Alors que le prince Hans en descend, titubant, elle court vers lui et se pend à son cou, en sanglots.

Deux de ses larmes tombent dans les yeux du prince qui s'écrie alors :
– Je vois de nouveau!...

Raiponce, je n'ai jamais pensé dire cela à une fille portant le nom d'un légume, mais voulez-vous m'épouser?
– Oh oui! répond Raiponce.

Le prince Hans emmène Raiponce dans son château. Le royaume tout entier est invité au mariage, y compris M. et Mme Rose.

La princesse Raiponce et le prince Hans vivront heureux pour le reste de leurs jours et auront trois beaux enfants : Citrouille, Laitue et Chou.

Raiponce (Rapunzel) a été écrit par deux frères, Jacob et Wilhelm Grimm. Ils ont vécu en Allemagne au début des années 1800 et ont réécrit ensemble des centaines de contes de fées.

Catalogage avant publication de Bibliothèque et Archives Canada

Davidson, Susanna

Raiponce / les frères Grimm ; réadaptation, Susanna Davidson ; illustrateur, Desideria Guicciardini ; texte français de Claudine Azoulay.

(Petit poisson deviendra grand, niveau 3) Traduction de: Rapunzel.
Pour les 7 à 9 ans.

ISBN 978-1-4431-0917-8

I. Grimm, Jacob, 1785-1863 II. Grimm, Wilhelm, 1786-1859
III. Guicciardini, Desideria IV. Azoulay, Claudine V. Titre.
VI. Collection: Petit poisson deviendra grand (Toronto, Ont.)

PZ24.D38Ra 2011 j823'.92 C2010-905863-1

Édition publiée par les Éditions Scholastic,
604, rue King Ouest, Toronto (Ontario) M5V 1E1,
avec la permission d'Usborne Publishing Ltd.

5 4 3 2 1 Imprimé à Singapour 46 11 12 13 14 15

Dans la collection

PETIT POISSON DEVIENDRA GRAND

NIVEAU 3

Aladin et sa lampe magique
Blanche-Neige et les sept nains
Histoires de cow-boys
Histoires de fantômes
Histoires de princes et de princesses
Le Casse-Noisette
Raiponce

NIVEAU 4

Crocodile casse-tout
Dracula
L'incroyable cadeau
Le fantôme du parc
Le jardin secret
Les aventures extraordinaires d'Hercule
Les aventures extraordinaires d'Ulysse